ALBUM

GW00992302

L'omino della pioggia

Quarta ristampa, ottobre 2019

Progetto grafico di Arianna Osti
© 1980 Maria Ferretti Rodari e Paola Rodari per il testo
© 2005 Edizioni EL
© 2016 Edizioni EL, via J. Ressel 5, 34018
San Dorligo della Valle (Trieste), per la presente edizione
ISBN 978-88-6714-475-4

www.edizioniel.com

ALBUMINI

L'omino della pioggia

GIANNI RODARI

Illustrazioni di

NICOLETTA COSTA

EMME EDIZIONI

Io conosco
l'omino della pioggia.

È un omino leggero leggero,
che abita sulle nuvole,

salta da una nuvola all'altra
senza sfondarne il pavimento
soffice e vaporoso.

Le nuvole hanno tanti rubinetti.
Quando l'omino apre i rubinetti,
le nuvole lasciano cadere
l'acqua sulla terra.

Quando l'omino chiude i rubinetti,
la pioggia cessa. Ha un gran da fare,
l'omino della pioggia, sempre ad aprire
e chiudere tutti i rubinetti e
qualche volta si stanca.

Quando è stanco stanchissimo si sdraia
su una nuvoletta e si addormenta.
Dorme, dorme, dorme e intanto
ha lasciato aperti tutti i rubinetti
e continua a piovere.

Per fortuna un colpo di tuono piú forte di
tutti gli altri lo sveglia. L'omino salta su
ed esclama: – Povero me, chissà quanto tempo
ho dormito!

Guarda in basso e vede i paesi,
le montagne ed i campi grigi e tristi
sotto l'acqua che continua a cadere.

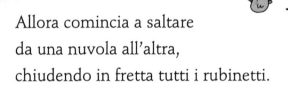

Allora comincia a saltare
da una nuvola all'altra,
chiudendo in fretta tutti i rubinetti.

Cosí la pioggia cessa, le nuvole
si lasciano spingere lontano dal vento
e muovendosi cullano dolcemente l'omino
della pioggia, che cosí si addormenta
di nuovo.

Quando si sveglia esclama:
– Povero me, chissà quanto tempo ho dormito!
Guarda in basso e vede la terra secca e fumante,
senza una goccia d'acqua.

Allora corre in giro per il cielo
ad aprire tutti i rubinetti.
E va sempre avanti cosí.

Finito di stampare nel mese di settembre 2019
per conto delle Edizioni EL
presso Esperia Srl, Lavis (Trento)